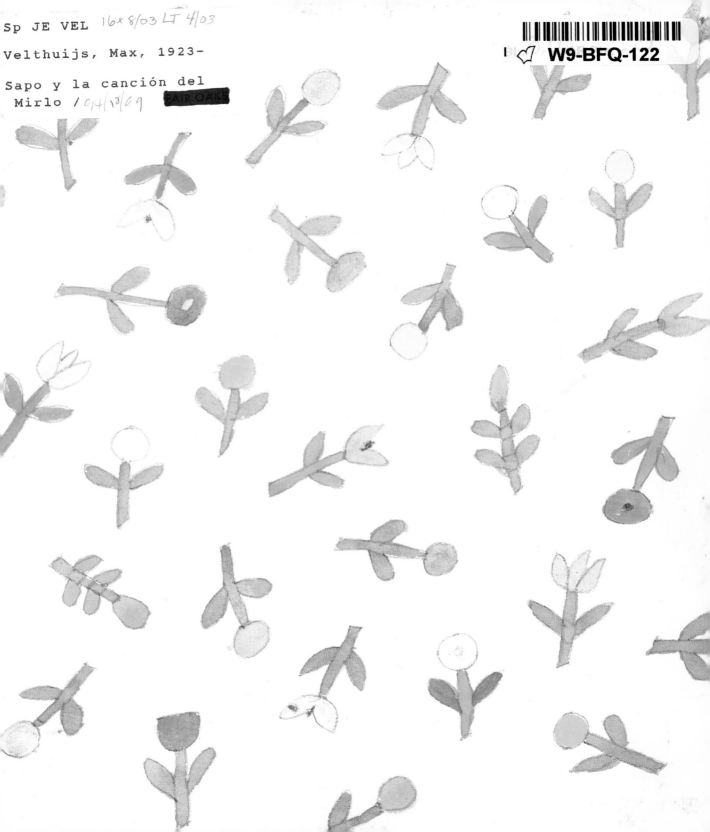

©1991 Max Velthuijs

© 1992 Ediciones Ekaré

Edificio Banco del Libro, Avenida Luis Roche, Altamira Sur, Caracas, Venezuela.

Todos los derechos reservados para la presente edición en español.

Título del original: *Frog and the Birdsong*

Publicado por primera vez en Inglaterra por Andersen Press Ltd., London WC2.

Traducción: Carmen Diana Dearden.

Impreso en Italia por Grafiche AZ, Verona.

ISBN 980-257-112-1.

Max Velthuijs

Sapo y la Canción
del Mirlo

Ediciones Ekaré – Banco del Libro
Caracas

Era un hermoso día de otoño.
Cochinito recogía manzanas en el huerto…

...cuando apareció Sapo. Se veía preocupado.

—Encontré algo —dijo.
—¿Qué será? —preguntó Cochinito.

–Ven y te enseño –contestó Sapo.

Y se fueron los dos juntos.
Cochinito estaba nervioso.

Cuando llegaron a un descampado, Sapo señaló el suelo.
—Mira —dijo—. Algo le pasa a Mirlo. No se mueve.

–Está dormido –dijo Cochinito.

En ese momento llegó Pata.

–¿Qué pasa? –preguntó preocupada–. ¿Un accidente?
–Shhh. Está dormido –dijo Sapo.
Pero a Pata le pareció que Mirlo estaba enfermo.

Liebre caminaba por el bosque. Desde lejos, vio que algo extraño pasaba. Se acercó.

Se arrodilló junto al pájaro y dijo:
—Está muerto.
—Muerto —dijo Sapo—. ¿Qué es eso?

Liebre señaló el cielo azul.

–Todo muere –dijo.

–¿Nosotros también? –preguntó Sapo.

Liebre tenía dudas.

–Quizás cuando seamos viejos –dijo.

–Debemos enterrarlo –dijo Liebre –. Allá, al pie de la colina.

Juntos, hicieron una camilla y cargaron a Mirlo hasta la pradera.

Cavaron un hueco profundo en la tierra.

–Toda su vida cantó para nosotros –dijo Liebre–. Ahora
le toca descansar.

Con mucho cuidado, pusieron a Mirlo dentro del hueco.
Sapo lanzó flores y luego cubrieron al pajarito con tierra.

Finalmente, colocaron una hermosa piedra.
Todo estaba muy quieto.
No se escuchaba ni un sonido. Ni siquiera el canto
de un pájaro.

Todos estaban tristes y regresaron en silencio.
Sapo los miró y salió corriendo.

—Juguemos al escondite —les propuso—. Cochinito, cuentas tú.

Jugaron y rieron hasta el atardecer.

–¿No es maravillosa la vida? –dijo Sapo.

Cansados y contentos, los amigos regresaron a sus casas.
Al pasar por la colina, escucharon un sonido.
Arriba en el árbol, un mirlo cantaba una linda canción.
Como siempre.